Première édition dans la collection *lutin poche* : octobre 2006
© 1999, l'école des loisirs, Paris
Loi numéro 49 956 du 16 juillet 1949 sur les publications
destinées à la jeunesse : octobre 1999
Dépôt légal : octobre 2006
Imprimé en France par Pollina à Luçon - n° L41409

Kimiko

LA CHAMBRE DE VINCENT

Texte de Grégoire Solotareff

lutin poche de l'école des loisirs
11, rue de Sèvres, Paris 6ᵉ

Mitsou et Kimi connaissaient bien Vincent.

C'était un peintre, comme elles, et il était très gentil : il ne parlait pas beaucoup et les laissait faire à peu près ce qu'elles voulaient.

Tous les matins, dès qu'il partait travailler, les deux souris prenaient un bain sur la grande table de nuit, dans une bassine qu'il laissait souvent remplie d'eau tiède et légèrement savonneuse.

Elles ne se lavaient pas, oh non ! les souris ne se lavent jamais, elles s'éclaboussaient un peu, ou restaient simplement dans l'eau à bavarder.

Ensuite, elles grimpaient dans le lit de Vincent, jouaient un petit moment
et faisaient une longue sieste. Plus tard seulement elles se mettaient à dessiner
ou à peindre.

C'était comme ça tous les jours.

Elles aimaient beaucoup cette chambre calme et claire, et en plus assez pratique
puisque Vincent y laissait toujours quelques tubes de couleur, des pinceaux et
des crayons.

Personne n'y venait de toute la journée.

Elles pouvaient tout à loisir, une fois qu'elles avaient fini de travailler,
jouer à cache-cache ou se balancer aux barreaux des chaises.

Et surtout escalader le drôle de fauteuil de Paul, l'ami de Vincent, un peintre
lui aussi. Vincent avait bien remarqué qu'il y avait des souris dans sa chambre :
elles laissaient souvent de petites saletés dans les draps, des miettes de pain
ou des morceaux de savon, mais il n'avait rien dit au propriétaire de la maison
ni à la femme de ménage. Il s'en fichait. Il était vraiment gentil.

Vincent savait bien que les souris ne sont pas très propres, il trouvait ça normal.
Et puis il avait découvert un jour sous son lit un minuscule dessin, assez joli,
qui ne pouvait avoir été fait que par une souris. Alors il avait décidé de ne jamais
mettre de piège.
Un jour, pourtant, il arriva une chose terrible. Kimi prenait tranquillement
son bain sur la table lorsqu'elle entendit un hurlement.
« Ahahahahahahihihihihohohohohohoho !!!!! »
Elle comprit qu'il était arrivé quelque chose de grave à sa sœur
et se précipita à son secours. Horreur ! Mitsou avait une patte coincée
dans une tapette à souris et il lui était impossible de se dégager.
Voyant Kimi arriver, Mitsou se mit à pleurer, à pleurer, sans pouvoir s'arrêter
(Mitsou était la sœur cadette de Kimi).

Kimi parvint à dégager la patte de Mitsou mais elle était bel et bien cassée.

On avait donc posé un piège ! Qui cela pouvait-il être ?

« C'est peut-être Paul », dit Kimi, une fois Mitsou un peu calmée.

« Paul ? Penses-tu ! » fit Mitsou. « Il ne sait même pas que ça existe, les souris, il est tellement snob ! Et puis ils se sont disputés hier, Vincent et lui. Alors je ne vois pas Paul s'occuper de souris ! »

« C'est Marguerite, tu crois ? » demanda Kimi.

« Marguerite ? Impossible. Tu sais bien qu'elle est gentille avec les animaux, elle. Souviens-toi, l'autre jour, elle a même donné du pain à ces grosses vaches de pigeons. »

« Tu crois que c'est… Vincent ? » demanda Kimi, sidérée.

« Peut-être », dit Mitsou. « Je ne sais pas ce qu'il a, il est tellement bizarre en ce moment ! »

Elles avaient remarqué en effet que Vincent ne sifflait plus du tout depuis quelques jours et qu'il parlait tout seul, mais elles ne s'en étaient pas vraiment inquiétées.

Elles restèrent un moment silencieuses. Elles pensèrent que si c'était lui qui avait posé ce piège, ça voulait dire qu'il était devenu complètement fou.

Juste à cet instant, elles l'entendirent qui montait l'escalier en courant.

Kimi traîna Mitsou à l'abri. Il fallait qu'elle y parvienne avant que Vincent n'arrive sinon elles étaient fichues toutes les deux. Car jamais elle n'abandonnerait sa sœur.

Elles se tenaient l'une contre l'autre, silencieuses et prêtes à mourir ensemble s'il le fallait, lorsque Vincent entra dans la pièce.

Il trébucha, renversa une chaise et fit tomber son chevalet. Tous les pinceaux et les tubes se répandirent sur le sol dans un bruit épouvantable.

Il s'approcha de la table de nuit.

Les deux souris entendirent ensuite un fracas de vaisselle qui tombait par terre, puis les ressorts du lit qui grinçaient. Vincent venait certainement de se jeter dessus de tout son poids.

Il y eut un silence.

Les souris fermèrent les yeux.

Et puis elles les ouvrirent et… Que virent-elles ?

Des taches rouges sur le sol !

En regardant de plus près… Pas de doute !

C'était du sang ! Vincent s'était blessé !

Elles entendirent ensuite Vincent se lever et il y eut à nouveau
un grand remue-ménage.
Kimi sortit un peu la tête de sous le lit pour voir ce qui se passait.
Elle vit Vincent debout, l'air complètement perdu.
Il avait un énorme bandage sur l'oreille !
Elle le raconta à Mitsou, qui fut si étonnée qu'elle en oublia sa douleur.

Vincent ouvrit brusquement la porte et sortit.
Puis elles l'entendirent dévaler l'escalier.
Kimi décida qu'il fallait partir au plus vite.
Il allait certainement revenir !
Elle courut ramasser un pinceau pour en faire une attelle
qu'elle attacha comme elle put à la jambe de Mitsou.
C'était la seule solution.

Elles purent ainsi rentrer chez elles, dans le placard à balais
au fond du couloir, sans que Mitsou eût trop mal.
Elles étaient enfin hors de danger.
Elles restèrent tapies là pendant plusieurs jours.
«On ne pourra plus jamais aller dans cette chambre», disait Mitsou.
«Quel dommage ! On y était si bien !»

«Tout de même, qui a bien pu mettre ce piège ?» se demanda Kimi un matin en se réveillant. «Il faut que je le sache.»

Elles entendirent la voix de Vincent. Elle venait de la rue.

«Je vais aller chercher nos affaires de peinture», décida Kimi.

«Fais attention à toi», dit Mitsou.

«Ne t'inquiète pas», dit Kimi. «Nous ne nous laisserons pas prendre deux fois.»

Elle se rendit dans la chambre, constata que le piège y était encore.

Elle grimpa sur la table de chevet et construisit un petit échafaudage pour voir dans la rue. Elle vit en effet Vincent, il avait encore son bandage sur la tête et…
Oh ! Il était avec une femme et… Oh ! Elle lui donnait un baiser !

«J'ai compris», se dit Kimi. «C'est elle qui a posé le piège ! Les femmes détestent les souris.»

Elle courut le dire à Mitsou.

«En plus», ajouta Mitsou, «Vincent a dû lui dire qu'il nous aimait bien.
Ça l'a rendue jalouse et elle a voulu nous attraper.»

Mitsou mit trois bonnes semaines à guérir de sa blessure.

Vincent aussi.

Les deux souris aimaient tellement cet endroit qu'elles n'arrivaient pas
à le quitter. Alors, comme elles ne pouvaient plus aller peindre et s'amuser
dans la chambre de Vincent, elles s'installaient dehors, sur la place,
pour faire des « portraits » de leur maison.

Elles étaient si petites que personne ne les remarquait.

Et puis un jour elles découvrirent un piège dans leur propre placard !
Après quelques larmes, elles décidèrent de partir dès le lendemain.
Décidément, on ne voulait plus d'elles.
Elles avaient entendu parler d'un jeune homme qui adorait
et les animaux et la peinture. Il s'appelait Henri. Il habitait Paris.
« Là-bas on sera sûrement heureuses », dit Kimi.
« Sauf s'il y a un chat », dit Mitsou.
Dès l'aube, emportant toutes leurs affaires, elles quittèrent
leur petite ville par un chemin à travers les champs.